Für Fredi —
einem Mitgenossen
mit aufrichtiger
Zuneigung
Herlichst
Melitta

Weihnachten 98

»Kennst Du das Land, wo die Kanonen blühn? / Du kennst es nicht? Du wirst es kennenlernen! / Dort stehn die Prokuristen stolz und kühn / in den Bureaus, als wären es Kasernen.« 1927 hatte Kästner bereits eine Reihe von Gedichten verfaßt, die im ›Simplicissimus‹, der ›Weltbühne‹ und in anderen Zeitschriften erschienen waren. Da schlug ihm der Verleger Kurt Weller vor, die verstreuten Beiträge zu sammeln und in einem Gedichtband zusammenzufassen. Das Werk kam 1928 heraus. »Das Buch erschien«, schrieb Erich Kästner, »und hatte, bei Freund und Feind, Erfolg. Nur so sei zur Zeit Lyrik möglich, schrieb man. Und man schrieb, es sei überhaupt keine Lyrik. Nun, es war Anklage, Elegie, Satire, Feuilleton, Glosse, Ulk, Frivolität, Epistel, Pamphlet und Bänkeltext.« ›Herz auf Taille‹ machte den Autor mit einem Schlag berühmt.

Erich Kästner, geboren am 23. Februar 1899 in Dresden, studierte nach dem Ersten Weltkrieg Germanistik, Geschichte und Philosophie. 1925 Promotion. Neben schriftstellerischer Tätigkeit Theaterkritiker und freier Mitarbeiter bei verschiedenen Zeitungen. Während der Nazizeit hatte er Publikationsverbot und schrieb vor allem Drehbücher. Von 1945 bis zu seinem Tode am 29. Juli 1974 lebte Kästner in München und war dort u. a. Feuilletonchef der ›Neuen Zeitung‹ und Mitarbeiter der Kabarett-Ensembles ›Die Schaubude‹ und ›Die kleine Freiheit‹.

Erich Kästner

Herz auf Taille

Mit Zeichnungen
von Erich Ohser

Deutscher Taschenbuch Verlag

Ungekürzte Ausgabe
Nach dem Text der ›Gesammelten Schriften‹
(Atrium Verlag, Zürich 1959) unter Hinzuziehung
der Erstausgabe von 1928
Dezember 1988
6. Auflage Januar 1999
Deutscher Taschenbuch Verlag GmbH & Co. KG,
München
Lizenzausgabe mit freundlicher Genehmigung des
Cecilie Dressler Verlags, Hamburg
© 1985 Atrium Verlag, Zürich
Erstveröffentlichung: Curt Weller & Co. Verlag,
Leipzig 1928
Umschlagkonzept: Balk & Brumshagen
Umschlagbild: Ausschnitt der Modezeichnung
›Robes pour l'été‹ von Raoul Dufy
(© VG Bild-Kunst, Bonn 1998)
Gesamtherstellung: C. H. Beck'sche Buchdruckerei,
Nördlingen
Gedruckt auf säurefreiem, chlorfrei gebleichtem Papier
Printed in Germany · ISBN 3-423-11003-1

Die Folge

Vorwort 7

Jahrgang 1899 11
Der Herr ohne Gedächtnis* 14
Ein Traum macht Vorschläge 16
Chor der Fräuleins 17
Ein Baum läßt grüßen 19
Wiegenlied 21
Hymnus an die Zeit 23
Besagter Lenz ist da* 26
Die Welt ist rund 28
Frau Großhennig schreibt an ihren Sohn 31
Die Tretmühle 35
Ein Kind, etwas frühreif 37
Herr im Herbst 38
Kleine Führung durch die Jugend* 41
Ansprache einer Bardame 43
Kennst Du das Land, wo die Kanonen blühen? 46
Die Hummermarseillaise 48
Ballade vom Defraudanten 50

* Die gekennzeichneten Gedichte fehlten in der Erstausgabe von ›Herz auf Taille‹ (Frühjahr 1928). Sie wurden von Kästner erst in der zweiten Auflage (Herbst 1928) hinzugefügt, als Ersatz für die damals fortgefallenen ganzseitigen Illustrationen von Erich Ohser (siehe Vorwort).

Abschied in der Vorstadt 52
Wer hat noch nicht? Wer will noch mal? 53
Sentimentale Reise* 57
Nachtgesang des Kammervirtuosen 59
Der Mensch ist gut 60
Epistel eines Dienstmädchens namens Bertha . . 62
Paralytisches Selbstgespräch 64
Der Scheidebrief 66
Ballgeflüster 69
Trottoircafés bei Nacht* 72
Die Zeit fährt Auto 74
Marionettenballade 75
Der Doktor kommt 77
Präludium auf Zimmer 28 80
Gespräch in der Haustür 82
Jardin du Luxembourg* 84
Moralische Anatomie 86
Die Zunge der Kultur reicht weit 87
Apropos, Einsamkeit! 89
Weihnachtslied, chemisch gereinigt 91
Goldne Worte, nicht ganz nüchtern 93
Mutter und Kind 94
Klassenzusammenkunft* 98
Münchhausen schreibt ein Reise-Feuilleton . . . 100
Monolog in der Badewanne 102
Knigge für Unbemittelte 104
Wieso, warum? 106
Mädchens Klage 107
Atmosphärische Konflikte* 110
Elegie mit Ei 112
Stimmen aus dem Massengrab 114

Der vorliegende Neudruck enthält, textgetreu und unterm alten Titel, meine erste Gedichtsammlung sowie zahlreiche ganzseitige Illustrationen und Vignetten der im Frühjahr 1928 erschienenen Erstauflage. Erich Ohsers (e. o. plauens) ganzseitige Illustrationen haben übrigens ihre »Geschichte«. Sie fielen in der zweiten Auflage, im Herbst 1928, fort. Sie fielen damals, da sie derb und deutlich waren, dem mimosenhaften Zartgefühl jener treudeutschen Sorte Sortimenter zum Opfer, die sich 1933 als ganz und gar nicht zimperlich entpuppen sollte.

Das Buch ist siebenunddreißig Jahre alt, und die Gedichte sind noch älter. Ich hatte sie als Leipziger Student geschrieben und in die literarische Welt hinausgeschickt. Sie waren im ›Tagebuch‹, im ›Simplicissimus‹, in der ›Vossischen Zeitung‹, in der ›Weltbühne‹, in der ›Jugend‹ und anderswo längst erschienen, als mir Curt Weller, ein grasgrüner Verleger, nicht viel älter als ich selber, ein Kriegsflieger mit Beinprothese, im Café Merkur, dem Literatencafé an der Pleiße, vorschlug, die verstreuten Beiträge zu sammeln und bei Curt Weller & Co. als Buch zu veröffentlichen. Erich Ohser, noch jünger als wir, dem Schlosserhandwerk entlaufen, Schüler der Akademie, übernahm mit heiterem Feuereifer den graphischen Teil. Der Titel wurde gesucht und gefunden. ›Herz auf Taille‹, das paßte zur modischen Linie, zum Bubikopf, zum kurzen Rock, zur überlangen Zigarettenspitze, zum Onestep und zum Charleston. Herz à la mode, das bedeutete Skepsis, Einschränkung des Gefühls. Scheu vor der Demaskierung, Selbstironie als Selbstschutz.

Das Buch erschien und hatte, bei Freund und Feind, Erfolg. Nur so sei zur Zeit Lyrik möglich, schrieb man. Und man schrieb, es sei überhaupt keine Lyrik. Nun, es war Anklage, Elegie, Satire, Feuilleton, Glosse, Ulk, Frivolität, Epistel, Pamphlet und Bänkeltext. Und wenn's keine Lyrik war, konnten wir den Kritikern auch nicht helfen! Man mußte sie nicht einmal bedauern. Es gab ja doch Lyrik, schlechte und sogar gute, zur Genüge!

Ganz und gar verschwand das literarische Unbehagen erst, als das Schlagwort »Gebrauchslyrik« auftauchte. Mit diesem Etikett war die bedrohte Etikette wiederhergestellt. Und die Platzanweiser atmeten erleichtert auf. Aber das politische Unbehagen wuchs. Mit der »Gebrauchslyrik« schien man sich abgefunden zu haben, doch keineswegs mit dem Gebrauche, den ich und andere davon machten. Zeitgedichte gegen Zeitgeschichte, ein ungleicher Wettkampf! Sein Ausgang konnte nicht zweifelhaft sein. Als Ende 1932 der vierte Band, ›Gesang zwischen den Stühlen‹, erschien, kam er gerade noch zur Bücherverbrennung zurecht.

Gedichte altern anders als wir. Wir werden älter, indem wir uns von Tag zu Tag und von Jahr zu Jahr verändern. Gedichte altern, ohne daß ihnen auch nur ein Haar ausfällt. Sie sehen aus wie ehedem. Als meine Kollegin Oda S. eines schönen Tages von einer ihr scheinbar völlig Unbekannten aufs herz-lichste begrüßt worden war, wandte sich Oda an mich und fragte: »Wer war denn das?« – »Blandine E.«, sagte ich, »sie war zwölf Jahre in Hollywood. Kennst du sie denn nicht?« – »Das war Blandine?« rief Oda verblüfft. »Nie hätte ich sie wiedererkannt! Sie hat sich ja überhaupt nicht verändert!«

Ob es meinen alten Lesern mit meinen alten Ge-dichten ähnlich ergehen wird?

München, 1965   Erich Kästner

Jahrgang 1899

Wir haben die Frauen zu Bett gebracht,
als die Männer in Frankreich standen.
Wir hatten uns das viel schöner gedacht.
Wir waren nur Konfirmanden.

Dann holte man uns zum Militär,
bloß so als Kanonenfutter.
In der Schule wurden die Bänke leer,
zu Hause weinte die Mutter.

Dann gab es ein bißchen Revolution
und schneite Kartoffelflocken;
dann kamen die Frauen, wie früher schon,
und dann kamen die Gonokokken.

Inzwischen verlor der Alte sein Geld,
da wurden wir Nachtstudenten.
Bei Tag waren wir bureau-angestellt
und rechneten mit Prozenten.

Dann hätte sie fast ein Kind gehabt,
ob von dir, ob von mir – was weiß ich!
Das hat ihr ein Freund von uns ausgeschabt.
Und nächstens werden wir Dreißig.

Wir haben sogar ein Examen gemacht
und das Meiste schon wieder vergessen.
Jetzt sind wir allein bei Tag und bei Nacht
und haben nichts Rechtes zu fressen!

Wir haben der Welt in die Schnauze geguckt,
anstatt mit Puppen zu spielen.
Wir haben der Welt auf die Weste gespuckt,
soweit wir vor Ypern nicht fielen.

Man hat unsern Körper und hat unsern Geist
ein wenig zu wenig gekräftigt.
Man hat uns zu lange, zu früh und zumeist
in der Weltgeschichte beschäftigt!

Die Alten behaupten, es würde nun Zeit
für uns zum Säen und Ernten.
Noch einen Moment. Bald sind wir bereit.
Noch einen Moment. Bald ist es so weit!
Dann zeigen wir euch, was wir lernten!

Anmerkung: Die ganzseitigen Bilder dürfen über das Sofa
gehängt werden!

Der Herr ohne Gedächtnis

Er griff dem Leben in die Taschen
und trieb mit Tod und Teufel Spaß.
Sein Maul war (bildlich) ungewaschen.
Er trank aus ziemlich allen Flaschen
und nahm bei Nacht den Sternen Maß.
Er stand auf dem Balkon des Jahres,
sah Scheußliches und Wunderbares,
und er vergaß.

Er kannte mehr als tausend Damen.
Die zeigten ihm ihr Herz en face.
Er spielte mit in tausend Dramen.
Er reiste unter tausend Namen
und sah durch Wände wie durch Glas.
Er lebte oft von Überresten.
Er wohnte manchmal in Palästen.
Und er vergaß.

Er war Friseur. Und Kohlenträger.
Er wurde krank. Und er genas.
Er schoß am Kongo Bettvorleger
und am Isonzo Alpenjäger
und biß beinahe selbst ins Gras.
Er fuhr auf Dampfern, die zerbrachen.
Er hustete in allen Sprachen.
Und er vergaß.

Und wenn sie ihn mit Blicken maßen,
in denen leichtes Grauen saß,
floh er auf Inseln mit Oasen.
Zu Menschen, welche Menschen fraßen,
indes er aus der Bibel las.
Oft reicht die Trauer nur für Späße ...
Er hoffte, daß man ihn vergäße,
wie er die anderen vergaß.
Und so geschah's.

Ein Traum macht Vorschläge

Ich träume – man kann das ja ruhig gestehen – fast
    nie.
Ich schlafe lieber, sobald ich liege.
Aber kürzlich hab ich trotzdem geträumt, wissen
    Sie.
Und zwar vom kommenden Kriege.

Aus den Gräbern krochen Millionen Männer
    hervor
(lauter Freiwillige, wie eine Stimme betonte),
die hoben ihre Gewehre zur Schulter empor
und prüften, wen zu erschießen sich lohnte.

Sie kamen einander entgegen, fertig zum Schuß und
    stumm . . .
Doch da schrie eine Stimme, als wäre jemand in
    Not!
Da drehten die Männer, wie auf Kommando, die
    Flinten herum
und schossen sich selber tot.

Sie fielen um in endlosen Reihn.
Ich träume doch eigentlich nie . . .
Und wer mag das nur gewesen sein,
der so schrie?

Chor der Fräuleins

Wir hämmern auf die Schreibmaschinen.
Das ist genau, als spielten wir Klavier.
Wer Geld besitzt, braucht keines zu verdienen.
Wir haben keins. Drum hämmern wir.

Wir winden keine Jungfernkränze mehr.
Wir überwanden sie mit viel Vergnügen.
Zwar gibt es Herrn, die stört das sehr.
Die müssen wir belügen. –

Zweimal pro Woche wird die Nacht
mit Liebelei und heißem Mund,
als wär man Mann und Frau, verbracht.
Das ist so schön! Und außerdem gesund.

Es wär nicht besser, wenn es anders wäre.
Uns braucht kein innrer Missionar zu retten!
Wer murmelt düster von verlorner Ehre?
Seid nur so treu wie wir, in euren Betten!

Nur wenn wir Kinder sehn, die lustig spielen
und Bälle fangen mit Geschrei,
und weinen, wenn sie auf die Nase fielen –
dann sind wir traurig. Doch das geht vorbei.

Ein Baum läßt grüßen

Man reist von einer Stadt zur andern Stadt.
Vier Schinkenbrote hat man schon gegessen.
Der Zug fährt gut. Die Fahrt geht glatt.
Man rechnet aus, ob man Verspätung hat,
und fühlt sich frei von höhern Interessen.

Man blickt durchs Fenster. Gänzlich ohne Zweck.
Man könnte ebenso die Augen schließen.
Dann schielt man nach dem Handgepäck.
Am Zug tanzt Schnee vorbei. Ein Dorf im Dreck.
Und Rhomboide. Doch das sind sonst Wiesen.

Man gähnt. Und ist zu faul, die Hand zu nehmen.
Man überlegt schon, ob man müde ist ...
Die Dame rechts soll sich was schämen!
Wenn ihre Hüften bloß nicht näher kämen!
Wie schnell der Mensch das Müdesein vergißt.

Man überlegt sich, ob man ihr entweiche.
Sie lehnt sich an. Und tut, als wär's im Traum.
Da sieht man draußen plötzlich eine Eiche!
Es kann auch Ahorn sein. Das ist das Gleiche.
Denn eins steht fest: Es ist ein Baum!

Und da entsinnt man sich. Und ist entsetzt:
Seit zwanzig Jahren sah man keine Felder!
Das heißt, man sah sie wohl. Doch nicht wie jetzt!
Wann sah man denn ein Blumenbeet zuletzt?
Und wann zum letzten Male Birkenwälder?

Man hat vergessen, daß es Gärten gibt.
Und kleine Vögel drin, die abends flöten.
Und blaue Veilchen, die die Mutter liebt...
Und während sich die Dame näherschiebt,
greift man gefaßt zu weitren Schinkenbröten.

Wiegenlied
(Ein Vater singt:)

Schlaf ein, mein Kind! Schlaf ein, mein Kind!
Man hält uns für Verwandte.
Doch ob wir es auch wirklich sind?
Ich weiß es nicht. Schlaf ein mein Kind!
Mama ist bei der Tante ...

Schlaf ein, mein Kind! Sei still! Schlaf ein!
Man kann nichts Klügres machen.
Ich bin so groß. Du bist so klein.
Wer schlafen kann, darf glücklich sein.
Wer schlafen darf, kann lachen.

Nachts liegt man neben einer Frau,
die sagt: Laß mich in Ruhe.
Sie liebt mich nicht. Sie ist so schlau.
Sie hext mir meine Haare grau.
Wer weiß, was ich noch tue.

Schlaf ein, mein Kind! Mein Kindchen, schlaf!
Du hast nichts zu versäumen.
Man träumt vielleicht, man wär ein Graf.
Man träumt vielleicht, die Frau wär brav.
Es ist so schön, zu träumen ...

Man schuftet, liebt und lebt und frißt
und kann sich nicht erklären,
wozu das alles nötig ist!
Sie sagt, daß du mir ähnlich bist.
Mag sich zum Teufel scheren!

Der hat es gut, den man nicht weckt.
Wer tot ist, schläft am längsten.
Wer weiß, wo deine Mutter steckt!
Sei ruhig. Hab ich dich erschreckt?
Ich wollte dich nicht ängsten.

Vergiß den Mond! Schlaf ein, mein Kind!
Und laß die Sterne scheinen.
Vergiß auch mich! Vergiß den Wind!
Nun gute Nacht! Schlaf ein, mein Kind!
Und, bitte, laß das Weinen ...

Anmerkung: Noch nie hat die Frau so wenig und der Mann
so viel Kindersinn gehabt wie heute.

Hymnus an die Zeit
(Mit einer Kindertrompete zu singen:)

Wem Gott ein Amt gibt, raubt er den Verstand.
In Geist ist kein Geschäft. Macht Ausverkauf!
Nehmt euren Kopf und haut ihn an die Wand!
Wenn dort kein Platz ist, setzt ihn wieder auf.

Der Gott, den Arndt das Eisen wachsen ließ,
schuf auch das Blech und ähnliche Metalle.
Vergeßt es nie: Ihr seid im Paradies!
Seid hoffnungsvoll. Und meidet die Krawalle.

Macht einen Buckel. Denn die Welt ist rund.
Wir wollen leise miteinander sprechen:
Das Beste ist totaler Knochenschwund.
Das Rückgrat gilt moralisch als Verbrechen.

Nehmt dreimal täglich eine Frau zum Weib.
Pro Jahr ein Kind. Und Urlaub. Sonst die Pflicht.
Das Leben ist ein sanfter Zeitvertreib.
Spuckt euch vorm Spiegel manchmal ins Gesicht.

Nehmt Vorschuß! Laßt euch das Gehalt
     verdoppeln!
Tagsüber pünktlich; abends manchmal Gäste.
Es braust ein Ruf von Rüdesheim bis Oppeln:
»Der Schlaf vor Mitternacht ist doch der beste!«

Ich möchte einen Schrebergarten haben,
mit einer Laube und nicht allzu klein.
Es ist so schön, Radieschen auszugraben ...
Behüt dich Gott, es hat nicht sollen sein!

Besagter Lenz ist da

Es ist schon so. Der Frühling kommt in Gang.
Die Bäume räkeln sich. Die Fenster staunen.
Die Luft ist weich, als wäre sie aus Daunen.
Und alles andre ist nicht von Belang.

Nun brauchen alle Hunde eine Braut.
Und Pony Hütchen sagte mir, sie fände:
die Sonne habe kleine, warme Hände
und krabble ihr mit diesen auf der Haut.

Die Hausmannsleute stehen stolz vorm Haus.
Man sitzt schon wieder auf Caféterrassen
und friert nicht mehr und kann sich sehen lassen.
Wer kleine Kinder hat, der fährt sie aus.

Sehr viele Fräuleins haben schwache Knie.
Und in den Adern rollt's wie süße Sahne.
Am Himmel tanzen blanke Aeroplane.
Man ist vergnügt dabei. Und weiß nicht wie.

Man sollte wieder mal spazierengehn.
Das Blau und Grün und Rot war ganz verblichen.
Der Lenz ist da! Die Welt wird frisch gestrichen!
Die Menschen lächeln, bis sie sich verstehn.

Die Seelen laufen Stelzen durch die Stadt.
Auf dem Balkon stehn Männer ohne Westen
und säen Kresse in die Blumenkästen.
Wohl dem, der solche Blumenkästen hat!

Die Gärten sind nur noch zum Scheine kahl.
Die Sonne heizt und nimmt am Winter Rache.
Es ist zwar jedes Jahr dieselbe Sache,
doch es ist immer wie zum erstenmal.

Die Welt ist rund

Die Welt ist rund. Denn dazu ist sie da.
Ein Vorn und Hinten gibt es nicht.
Und wer die Welt von hinten sah,
der sah ihr ins Gesicht!

Zwar gibt es Traum und Mondenschein
und irgendwo auch eine kleine Stadt.
Das ist nicht anders. Denn das muß so sein.
Und wenn du tot bist, wirst du davon satt.

Mensch, werde rund, Direktor und borniert.
Trag sonntags Frack und Esse.
Und wenn dich wer nicht respektiert,
dann hau ihm in die Fresse.

Sei dumm. Doch sei es mit Verstand.
Je dümmer, desto klüger.
Tritt morgen in den Schutzverband.
Duz' dich mit Schulz und Krüger.

Nimm ihre Frauen oft zum Übernachten.
Das ist so üblich. Und heißt Freiverkehr.
Es lohnt sich nicht, die Menschen zu verachten.
Und weil die Welt bewohnt wird, ist sie leer.

Es gibt im Süden Gärten mit Zypressen.
Wer keine Lunge hat, wird dort gesund.
Wer nichts verdient, der braucht auch nicht
    zu essen.
Normale Kinder wiegen neu acht Pfund.

Du darfst dich nicht zu oft bewegen lassen,
den andern Menschen ins Gesicht zu spein.
Meist lohnt es nicht, sich damit zu befassen.
Sie sind nicht böse. Sie sind nur gemein.

Ja, wenn die Welt vielleicht quadratisch wär!
Und alle Dummen fielen ins Klosett!
Dann gäb es keine Menschen mehr.
Dann wär das Leben nett.

Wie dann die Amseln und die Veilchen lachten!
Die Welt bleibt rund. Und du bleibst ein Idiot.
Es lohnt sich nicht, die Menschen zu verachten.
Nimm einen Strick. Und schieß dich damit tot.

Frau Großhennig schreibt an ihren Sohn

Mein lieber Junge! Das war natürlich sehr schade,
daß Du zu meinem Geburtstag nicht kamst. Und
nur schriebst.
Die Nelken waren sehr schön. Und Bratwurst
hatten wir grade.
Weil ich doch hoffte Du kämst. Und Du doch
Bratwurst so liebst.

Tante Isolde hat mir eine Lackledertasche
geschenkt.
Nur Vater der hatte es gänzlich vergessen.
Ich war erst traurig. Wo er doch sonst stets an
alles denkt.
Aber es gab viel zu tun, mit dem Kaffee, und dann
mit dem Abendessen.

Und wie geht es Dir sonst und bist Du den
trockenen Husten los?
Das macht mir Sorgen mein Kind. Und das darf
man nicht hinhängen lassen.
Nächstens schick ich Dir Umlegekragen. Waren die
letzten zu groß?
Ja wenn Du zu Hause wärst dann würden die
Kragen schon passen.

Ach Krauses älteste Tochter hat kürzlich ein
    Kind gekriegt!
Wer der Vater ist weiß kein Mensch. Und sie soll es
    selber nicht wissen.
Ob denn das wirklich nur bloß an der
    Gymnasialbildung liegt?
Und schick bald die schmutzige Wäsche. Der letzte
    Kartong war schrecklich zerrissen.

Mein Kostüm habe ich umfärben lassen. Jetzt ist es
    marineblau.
Laß Dein Zimmer heizen. Wir machen schon lange
    Feuer.
Das Fleisch das kaufe ich jetzt bei unsrer
    Gemüsefrau
da ist es zehn Pfennige billiger. Ich finde es
    trotzdem noch teuer.

Drei Monate bist Du nun schon nicht zu Hause
    gewesen.
Läßt es sich wirklich nicht mal und wenns auf zwei
    Tage ist machen?
Erst vorgestern habe ich eine Berliner Zeitung
    gelesen.
Fritz sieh Dich bloß vor! Da passieren ja gräßliche
    Sachen!

Ist das Essen auch gut in dem Restaurant
    wo Du ißt?
Laß Dir doch abends von Deiner Wirtin zwei Eier
    auf Butter braten.
Das wird alles anders, wenn Du erst richtig
    verheiratet bist.
Ich weiß schon Du hast keine Lust. Das ist schade
    da läßt sich nicht raten.

Unser neuer Zimmerherr der hat eine richtige
    Braut.
Die ist mitunter bei ihm. Sonst bin ich mit ihm ganz
    zufrieden.
Die Hausmannsfrau hat sie gesehn. Und sagte
    gestern ganz laut,
das wäre nicht immer dieselbe. Ich müßte das
    endlich verbieten.

Hast Du in eurem Geschäft schon wieder mal Ärger
    gehabt?
Schreib mir nur alles und sieh Dich recht vor mit
    den Mädelsgeschichten.
Es wäre doch schade um Dich. Denn Du bist doch
    sonst so begabt.
Wie schnell ist was los mit dem Arzt und den
    Vormundschaftsgerichten.

Sonst geht es uns allen wenn man das schlechte
nicht rechnet famos.

Ich hoffe dasselbe von Dir. Was wollte ich gleich
noch sagen?

Das Papier ist zuende. Leb wohl! Bei Ehrlichs ist
wieder was los.

Ich will nur den Brief noch ganz schnell in den
Bahnhofsbriefkasten tragen.

Da fällt mir noch etwas ein. Doch es geht schon gar
nicht mehr her.

Kannst Dus auch lesen? Frau Fleischer Stefan traf
ich jetzt im Theater.

Was die Erna ist, ihre Tochter. Die liebt Dich längst
schon. Und sehr.

Ich find sie recht nett. Na schon gut. Auch viele
Grüße von Vater!

Die Tretmühle

(Nach der Melodie: ›Frisch auf mein Volk! Die Flammenzeichen rauchen!‹)

Rumpf vorwärts beugt! Es will dich einer treten!
Und wenn du dich nicht bückst, trifft er den Bauch.
Du sollst nicht fragen: was die andern täten!
Im übrigen: die andern tun es auch.

So böck dich, Mensch! Er tritt ja nicht zum Spaße!
Er wird dafür bezahlt. Es ist ihm ernst.
Tief! Tiefer! Auf die Knie mit deiner Nase!
Das Vaterland erwartet, daß du's lernst.

Zunächst bist du noch etwas steif im Rücken.
Sei guten Muts! Es ist nicht deine Schuld.
Gib acht, wie prächtig sich die andern bücken!
Das ist nur eine Frage der Geduld.

Und muß so sein. Und ist der Sinn der Erde.
Der eine tritt – wie die Erfahrung lehrt –
damit ein anderer getreten werde.
Das ist Gesetz. Und gilt auch umgekehrt.

Du sollst für Laut- und Leisetreter beten:
»Gib Himmel, jedem Stiefel seinen Knecht!
Beliefre uns mit Not! Denn Not lehrt treten!«
Wer nicht getreten wird, kommt nie zurecht.

Geh vor den Spiegel! Freu dich an den Farben,
die man dir kunstvoll in die Rippen schlug!
Die Besten waren's, die an Tritten starben. –
Rumpf vorwärts beugt! Genug ist nicht genug!

Ein Kind, etwas frühreif

Ich hab mich zu einem Kinde gebückt.
(Denn ich bin in solchen Dingen nicht stolz.)
Und ich hab ihm sein Spielzeug zurechtgerückt.
Es war ein Schimmel aus Holz.

Das Kind ging mit einer schönen Frau.
Die dachte, ich dächte, sie wäre so frei ...
Und sie zog ihr Kind wie einen Wauwau
an Laternen und Läden vorbei.

Sie fühlte sich schon zur Hälfte verführt
und schwenkte vergnügt ihr Gewölbe.
Das hätte mich nun nicht weiter gerührt.
Doch das Kind – ich habe es ganz deutlich gespürt –
das dachte bereits dasselbe ...

Herr im Herbst

Nun wirft der Herbst die Blätter auf den Markt.
Na ja, das mußte wohl so kommen.
Und Lehmanns Tochter hat man eingesargt.
Hat die ein Glück gehabt, genau genommen ...

Das Jahr wird alt und zieht den Mantel an.
Der Bettler vis à vis hat keinen.
So ist das Leben. Es ist nicht viel dran.
Frau'n können lachen, denn sie dürfen weinen.

Wozu die Blätter bunt sind, wenn sie fallen?
Na ja, man muß nicht alles wissen wollen.
Mir geht's nicht gut. Und ähnlich geht es allen.
Sogar die Drüsen sind geschwollen!

Wer kommt denn dort aus meinem Haus?
Ach, das ist Paul. Ob ich ihn rufe?
Er sieht etwas wie seine Schwester aus.
Wahrscheinlich: Achtung Zwischenstufe!

Das ist ein Wetter. Um drin zu ersaufen.
Sowas von Regen war noch gar nicht da.
Paar neue Schuhe müßte ich mir kaufen ...
Und Haareschneidenlassengehen muß ich auch.
 Na ja.

Anmerkung: Über dieses Gedicht mußte Hildegard beinahe weinen.

Kleine Führung durch die Jugend

Und plötzlich steht man wieder in der Stadt,
in der die Eltern wohnen und die Lehrer,
und andre, die man ganz vergessen hat.
Mit jedem Schritte fällt das Gehen schwerer.

Man sieht die Kirche, wo man sonntags sang.
(Man hat seitdem fast gar nicht mehr gesungen.)
Dort sind die Stufen, über die man sprang.
Man blickt hinüber. Es sind andre Jungen.

Der Fleischer Kurzhals lehnt an seinem Haus.
Nun ist er alt. Man winkt ihm wie vor Jahren.
Er nickt zurück. Und sieht verwundert aus.
Man kennt ihn noch. Er ist sich nicht im klaren.

Dann fährt man Straßenbahn und hat viel Zeit.
Der Schaffner ruft die kommenden Stationen.
Es sind Stationen der Vergangenheit!
Man dachte, sie sei tot. Sie blieb hier wohnen.

Dann steigt man aus. Und zögert. Und erschrickt.
Der Wind steht still, und alle Wolken warten.
Man biegt um eine Ecke. Und erblickt
ein schwarzes Haus in einem kahlen Garten.

Das ist die Schule. Hier hat man gewohnt.
Im Schlafsaal brennen immer noch die Lichter.
Im Amselpark schwimmt immer noch der Mond.
Und an die Fenster pressen sich Gesichter.

Das Gitter blieb. Und nun steht man davor.
Und sieht dahinter neue Kinderherden.
Man fürchtet sich. Und legt den Kopf ans Tor.
(Es ist, als ob die Hosen kürzer werden.)

Hier floh man einst. Und wird jetzt wieder fliehn.
Was nützt der Mut? Hier wagt man nicht, zu retten.
Man geht, denkt an die kleinen Eisenbetten
und fährt am besten wieder nach Berlin.

Ansprache einer Bardame

Der zweite Herr von links ist ausgetreten.
Und hat sich fortgespült. Das Geld ist hin.
Das ist nicht fein. Wenn das nun alle täten –
Ich weiß ja längst, daß ich ein Rindvieh bin!

Prost Dicker! Sag mal: Hast du deiner Alten
das Kleid gekauft? – Ein Whisky! Ein Kakao!
Was man verspricht, mein Schatz, das muß man
    halten.
Na, heul nicht gleich! Es ist ja deine Frau.

Pauline, hast du Hertha nicht getroffen?
Sie kommt noch her. Der Roth hat sie bestellt.
Was? Der war gestern nacht nicht schlecht
    besoffen?
Paß auf, daß Kurtchen nicht vom Stuhle fällt.

Vorhin saß einer da, der ist mit mir
im Konfirmandenunterricht gewesen.
Der war der erste ... Und nun steht man hier.
Ich möchte manchmal im Gesangbuch lesen.

Jetzt will ich rauchen! Dicker! Gib mir Feuer!
Mein Vater war ein regelrechter Graf.
Und jeder schimpft auf die Getränkesteuer.
Wer will mein Freund sein? Kurt ist mir zu brav.

Wenn ich euch sehe, kriege ich den Wunsch,
euch mit dem Rücken ins Gesicht zu springen!
Zwei Sherry Cobler! Einmal Schwedenpunsch! –
Wenn man ertrinkt, träumt man von schönen
     Dingen.

Ob das auch wahr ist? Wenn ich Kinder hätte
– ich kriege keine seit dem Hospital –
die brächt ich stets zur Schule und zu Bette
und am Geburtstag – Mokkaflip zweimal!

Durch alle Straßen, die's auf Erden gibt,
möcht ich zu gleicher Zeit auf einmal gehen.
Ach wär das schön! Ich wäre meist verliebt.
Und könnte stets vor tausend Läden stehen.

Mir ist nicht gut. Oft möcht ich nach Berlin.
Ich hatte früher sehr gesuchte Waden.
Und hatte dreißig Kleider anzuziehn.
Und sparte Geld für einen Blumenladen.

Ich liebe Blumen sehr. Das ist nun aus.
Ein Dujardin! – Kurt ist so schrecklich dumm.
Ihr ekelt mich! Wer geht mit mir nach Haus?
Es ist zum Heulen ... Einmal Grog von Rum!

Kennst Du das Land, wo die Kanonen blühen?

Kennst Du das Land, wo die Kanonen blühn?
Du kennst es nicht? Du wirst es kennenlernen!
Dort stehn die Prokuristen stolz und kühn
in den Bureaus, als wären es Kasernen.

Dort wachsen unterm Schlips Gefreitenknöpfe.
Und unsichtbare Helme trägt man dort.
Gesichter hat man dort, doch keine Köpfe.
Und wer zu Bett geht, pflanzt sich auch schon fort!

Wenn dort ein Vorgesetzter etwas will
– und es ist sein Beruf, etwas zu wollen –
steht der Verstand erst stramm und zweitens still.
Die Augen rechts! Und mit dem Rückgrat rollen!

Die Kinder kommen dort mit kleinen Sporen
und mit gezognem Scheitel auf die Welt.
Dort wird man nicht als Zivilist geboren.
Dort wird befördert, wer die Schnauze hält.

Kennst Du das Land? Es könnte glücklich sein.
Es könnte glücklich sein und glücklich machen!
Dort gibt es Äcker, Kohle, Stahl und Stein
und Fleiß und Kraft und andre schöne Sachen.

Selbst Geist und Güte gibt's dort dann und wann!
Und wahres Heldentum. Doch nicht bei vielen.
Dort steckt ein Kind in jedem zweiten Mann.
Das will mit Bleisoldaten spielen.

Dort reift die Freiheit nicht. Dort bleibt sie grün.
Was man auch baut, – es werden stets Kasernen.
Kennst Du das Land, wo die Kanonen blühn?
Du kennst es nicht? Du wirst es kennenlernen!

Die Hummermarseillaise

Das Leben ist doch bloß zum Sterben da.
O we ... o welche Lust, Soldat zu sein!
Wer sich im Schlaf noch niemals lächeln sah,
dem leuchtet ... hupp ... dem leuchtet das nicht
    ein.

Ich möchte manchmal – immer möcht ich nicht –
ich möchte manchmal in die Kissen lachen.
Der Güter höchstes Übel ist die Pflicht.
Und kann man nichts dage ... dagegen machen.

Da ist noch ei ... noch eins, was ich erwäge:
Mit Vitriol einmal den Mund zu spülen.
Treib Sport, mein Volk! Trei ... treibe
    Körperpflege!
Denn wer nicht hören will, muß ... will, muß
    fühlen.

Oft bin ich Menschen weiblichen Geschlechts
als Hei ... als Heiliger erschienen.
Ich gab das letzte her, nach links und rechts.
Sogar das Lager teilte ich mit ihnen.

Zehntausend Liter Leuchtgas will ich kaufen
und ... und als Vorrat in den Keller tun.
Ich werde wieder öfter Rollschuh laufen.
Im Au ... im Auto fahren wird kommun.

Ich liebe es, das Atmen zu vermeiden.
Es lohnt nicht ... hupp ... auch weiß man nicht
      wozu.
Ich frag' mich oft, warum sie uns beneiden.
Denn Geld macht arm. Und läßt uns nicht in Ruh.

Ich möchte es einmal nicht eilig haben.
Und morgen nicht zur Bö ... zur Börse gehn.
Ich möchte wie ganz ... wie ganz kleine Knaben
ganz ohne Geld vor einem Laden stehn ...

Ich will mein ganzes Geld den Armen geben.
So ... so bin ich. Das ist doch edel. Wie?
In Flo ... Florenz möcht' ich von Renten leben.
Es lebe Franz von ... Franz von Assisi! Hupp!

Ballade vom Defraudanten

Es folgt das Lied von einem Defraudanten.
Es war ein guter Mensch. Denn das kommt vor.
Ich hörte es von Leuten, die ihn kannten.
Sperrt eure Ohren auf! Er hieß Franz Moor.

Es hat bekanntlich alles seine Grenzen. –
Franz Moor war mittelblond und ohne Arg,
dazu Kassierer, zog die Konsequenzen
und flüchtete mit 100 000 Mark.

Bis Brüssel blieb er im Klosett des Zugs.
Dann war er des Französischen nicht mächtig.
Sie war von schlechtem Ruf und gutem Wuchs.
Und liebten sich. Er fand sie nur zu schmächtig.

Das gibt sich alles. – Dann war sie verblüht.
Mit ihr das Geld, das ihm gar nicht gehörte.
Er weinte fast. Denn er war ein Gemüt.
Das war etwas, was ihn direkt empörte.

Als ihm ein Steckbrief in die Augen stach,
mit seinem Bild – von damals als Gefreiter –
da blieb er stehn und dachte lange nach.
Dann kam ein Polizist. Und Moor ging weiter.

Er sprang ins Wasser, das bei Brüssel floß.
Jedoch vergeblich. Denn er ging nicht unter.
Er trank Lysol, das er in Kognak goß.
Er sprang von einem Aussichtsturm herunter.

Er trieb sich öfters Messer in die Schläfen.
Sechs Kugeln schoß er in den offnen Mund.
Und war verwirrt, daß sie ihn gar nicht träfen!
So tat er manches. Doch er blieb gesund.

Ihm war das peinlich. Und er rang die Hände.
Und er erkannte klar: Er stürbe nicht,
nur weil er das Französisch nicht verstände.
Anschließend stellte er sich dem Gericht.

Moral:

Da sitzt er nun und deutet damit an,
daß Bildungsmangel gräßlich schaden kann.
Es ist der Tiefsinn dieses Sinngedichts:
Lernt fremde Sprachen! –
Weiter will es nichts.

Anmerkung: Lernt fremde Sprachen! Eßt deutsches Obst!

Abschied in der Vorstadt

Wenn man fröstelnd unter der Laterne steht,
wo man tausend Male mit ihr stand...
Wenn sie, ängstlich wie ein Kind, ins Dunkel geht,
winkt man lautlos mit der Hand.

Denn man weiß: man winkt das letzte Mal.
Und an ihrem Gange sieht man, daß sie weint.
War die Straße stets so grau und stets so kahl?
Ach, es fehlt bloß, daß der Vollmond scheint...

Plötzlich denkt man an das Abendbrot
und empfindet dies als gänzlich deplaziert. –
Ihre Mutter hat zwei Jahre lang gedroht.
Heute folgt sie nun. Und geht nach Haus. Und
    friert.

Lust und Trost und Lächeln trägt sie fort.
Und man will sie rufen! Und bleibt stumm.
Und sie geht und wartet auf ein Wort!
Und sie geht und dreht sich nie mehr um...

Wer hat noch nicht? Wer will noch mal?

Na, wer hat noch nicht? Na, wer will noch mal?
Hier dreht sich der Blödsinn im Kreise!
Hier sehen Sie beispielsweise
den Türkisch sprechenden Riesenwal
und die Leiche im schwarzen Reichswehrkanal!
Und das alles für halbe Preise!

Na, wer will noch mal? Na, wer hat noch nicht?
Hier staunen Sie, bis Sie platzen!
Hier sehn Sie die boxenden Katzen!
Hier sehn Sie die Dame ohne Gesicht
und werden sich wundern, womit sie spricht...
Feixt nicht, ihr dämlichen Fratzen!

* * *

Bild Nummer Eins – geschätztes Publikum –
zeigt uns den Massenmörder Manfred Melber.
Der brachte neunundneunzig fremde Menschen um!
Und als den hundertsten sich selber.
Der Arme...

Bild Nummer Zwei ist ein Somali-Neger!
Der fraß infolge einer Wettbedingung
drei Dutzend nagelneue Hosenträger!
Und starb an Darmverschlingung.
Der Arme ...

Bild Nummer Drei ist ein berühmter Gatte.
Zwei Frauen küßte der zu gleicher Zeit!
Das macht, weil er zwei Köpfe hatte.
Doch meistens gab es dabei Streit.
Der Arme ...

Bild Nummer Vier, das ist ein Marabu.
Der hatte Grübchen, wenn er lachte!
Oft sahen soviel Menschen zu,
daß er's aus Trotz nicht machte.
Der Arme ...

Bild Nummer Fünf ist Nordseemaler Stoy.
Der malte einen Salzsee. So zum Spaß.
Und trotzdem so naturgetreu,
daß der die Leinewand zerfraß!
Der Arme ...

Bild Nummer Sechs zeigt die Familie Binder:
Die Frau war schwarz, der Mann hingegen weiß.
Erst kriegten sie schwarz-weiß karierte Kinder
und daraufhin den Nobelpreis –
Die Armen . . .

* * *

Und dann tritt eine längere Pause ein!
So mach ich das nämlich immer.
Der zweite Teil wird noch schlimmer!
Da zeig' ich die Frau mit dem Knoten im Bein!
Doch da dürfen nur die Erwachsnen hinein.
Karten im Künstlerzimmer.

Der zweite Teil wird phänomenal!
Na, wer hat noch nicht?
Na, wer will noch mal?

Sentimentale Reise

O verflucht, ist man alleine!
Was man hört und sieht, ist fremd.
Und im Stiefel hat man Steine.
Und schon spürt man eine kleine
Sehnsucht unterm Oberhemd.

Man betrachtet, was Ihr rietet,
und fährt hoch und rund und weit.
Man bewundert, was sich bietet.
Doch das Herz ist ja vermietet.
Man vertreibt sich nur die Zeit.

Wenn doch endlich Einer grüßte!
Wenn Ihr kämt und nicht nur schriebt!
Doch man steht wie in der Wüste
und begafft die Bronzebüste
eines Gottes, den's nicht gibt.

Wer es wünscht, kann selbstverständlich
auch ganz andre Büsten sehn.
(Gegen Eintritt, es ist schändlich!)
Man denkt nach. Und läßt es endlich,
wie so Vieles, ungeschehn.

Ja, die Welt ist wie ein Garten.
Und man wartet wie bestellt.
Doch da kann man lange warten.
Und dann schreibt man Ansichtskarten,
daß es einem sehr gefällt.

Nachts steckt man durchs Fenster seinen
Kopf und senkt ihn wie ein Narr.
Und man hört die Katzen weinen.
Und am Morgen hat man einen
schönen Bronchialkatarrh.

Nachtgesang des Kammervirtuosen

Du meine Neunte letzte Sinfonie!
Wenn du das Hemd* anhast mit rosa Streifen ...
Komm wie ein Cello zwischen meine Knie,
und laß mich zart in deine Saiten greifen!

Laß mich in deinen Partituren blättern.
(Sie sind voll Händel, Graun und Tremolo.)
Ich möchte dich in alle Winde schmettern,
du meiner Sehnsucht dreigestrichnes Oh!

Komm, laß uns durch Oktavengänge schreiten!
(Das Furioso, bitte, noch einmal!)
Darf ich dich mit der linken Hand begleiten?
Doch beim Crescendo etwas mehr Pedal!

Oh deine Klangfigur! Oh die Akkorde!
Und der Synkopen rhythmischer Kontrast!
Nun senkst du deine Lider ohne Worte ...
Sag einen Ton, falls du noch Töne hast!

Anmerkung: *In besonders vornehmer Gesellschaft ersetze
man das Wort »Hemd« durch das Wort »Kleid«.

Der Mensch ist gut

Der Mensch ist gut! Da gibt es nichts zu lachen!
In Lesebüchern schmeckt das wie Kompott.
Der Mensch ist gut. Da kann man gar nichts
    machen.
Er hat das, wie man hört, vom lieben Gott.

Einschränkungshalber spricht man zwar von
    Kriegen.
Wohl weil der letzte Krieg erst neulich war...
Doch: ließ man denn die Krüppel draußen liegen?
Die Witwen kriegten sogar Honorar!

Der Mensch ist gut! Wenn er noch besser wäre,
wär er zu gut für die bescheidne Welt.
Auch die Moral hat ihr Gesetz der Schwere:
Der schlechte Kerl kommt hoch – der Gute fällt.

Das ist so, wie es ist, geschickt gemacht.
Gott will es so. Not lehrt bekanntlich beten.
Er hat sich das nicht übel ausgedacht
und läßt uns um des Himmels Willen treten.

Der Mensch ist gut. Und darum geht's ihm
    schlecht.
Denn wenn's ihm besser ginge, wär er böse.
Drum betet: »Herr Direktor, quäl uns recht!«
Gott will es so. Und sein System hat Größe.

Der Mensch ist gut. Drum haut ihm in die Fresse!
Drum seid so gut: und seid so schlecht, wie's geht!
Drückt Löhne! Zelebriert die Leipziger Messe!
Der Himmel hat für sowas immer Interesse. –
Der Mensch bleibt gut, weil ihr den Kram versteht.

Epistel eines Dienstmädchen namens Bertha

Geliebter Franz Ich will es dir bloß schreiben
das ich den Freitag doch nicht kommen kann
Die Frau vereißt. Ich mus zuhauße bleiben.
den Kindern wegen. und bei ihrem Mann.

Du darfst mir Letzteres nicht Übel nehmen
denn Dienst ist Dienst, dafor wird man bezahlt.
und bleib mir treuh, sonst müstest du dich schemen.
auch wird die Küche neu und blau bemahlt.

Ich werde dabei immer an dich denken.
Ich hab doch wirklig wie man sagt Mallör.
Wirstu mir auch das Silberhalsband schenken?
Kauf es nur bald sonst hat er es nicht mehr.

Und ach, willstu um zwölf vorn hause warten?
du kanst auch feifen wenn du feifen kanst.
Mir bummeln dann ein bisjen mang den Garten.
stadt das du fremd gehst und mit andern tanzt.

Wenn du nicht da bist werde ich mir ärgern.
Auch Bänke sind im Garten, sühser Franz.
Und see ich dich noch einmahl mit der Bergern
dann is es auß von mir auß. foll und gans.

Die Gnädje will drei Auhtohs hohlen laßen.
Weil sie neun Koffern mit auf reißen nimt.
Ich meine das auch in den beßren Klaßen
nich egal alles wie es sein soll stimt.

Na darin soll man sich nicht zu seer mischen
ein jeder tuht was er nicht laßen kan.
Nur wenn sie unsereins dabei erwischen
dann schnauzen sie als ging es ihnen an.

Die Gnädje brüllt ich muß die Koffern pakken.
Mein Bruder kauft mir einen roten Hut.
Ich küße dir im Geihst auf beiden Bakken.
Das Silberhalsband steht mir sicher gut.

Paralytisches Selbstgespräch

(Im Sprechgesang zu rezitieren:)

Ein Kuß in Ehren ist kein Büstenhalter.
Der Ehebruch wirkt äußerst zeitgemäß.
Ein Embryo ist meist von zartem Alter.
Der Spucknapf ist zunächst kein Trinkgefäß.

Dreh dir den Kopf ab, falls du einen hast!
Auch ohne Kopf wirst du kein deutscher Denker.
Knüpf dich dezent an einen Lindenast.
Seit Zeile 5 wirst du davon nicht kränker...

Wie wird man sich nach seinem Tode kleiden?
Ob auf dem Mars wohl Freudenhäuser sind?
Ob auch Minister an Erkältung leiden?
Ist wohl der Zufall nur per Zufall blind?

Das sind dabei nicht etwa alle Fragen!
Die meisten fallen einem gar nicht ein.
Es nützt nichts, im Adreßbuch nachzuschlagen.
Das ist für diese Zwecke viel zu klein.

Ein Fräulein will sich mit mir trauen lassen.
Sie schätzt mich so. Weil ich so höflich sei.
Ein Nachthemd hat sie. Und elf Untertassen.
Und einen Gasherd. Doch der ist entzwei.

Wenn ich elektrisch Licht im Munde hätte
und, wo der Blinddarm ist, ein Grammophon –
und Geld zu Schnaps und eine Zigarette,
das wäre schön. Denn ich bin Gottes Sohn.

Irrsinn ist menschlich und hat Gold im Munde.
Fast jeder hat's; nicht jedem ist's bekannt.
Der Doktor sagt, ich bin sein längster Kunde.
Nachts bin ich meist ein roter Elefant.

In Brüssel hat sich mancher kriegsverletzt.
Seit Mitte Juli kann ich nicht mehr lachen.
Wer Pech angreift, denkt an sich selbst zuletzt. –
Wo steht doch: Selig sind die Geistesschwachen?

Der Scheidebrief
(Die ledige Erna Schmidt schreibt:)

Zwei Stunden sitz ich nun in Caffee Bauer.
Wenn Du nicht willst, dann sag es ins Gesicht.
Deswegen wird mir meine Milch nicht sauer.
Ich pfeif auf Dich, mein Schatz. Na schön, dann
     nicht!

Du brauchst nicht denken, daß ich Dich entbehre.
Mit dem Vekehr mit mir, das ist jetzt aus.
Auch ich hab so etwas wie eine Ehre.
Laß Dich nicht blicken, Schatz, sonst fliegst Du
     raus.

Da sitz ich nun und weis nicht, wovon zahlen.
Der Ober guckt schon wie ein Dedektif.
Ich wollte die Klosettfrau, Mutter Grahlen,
anpumpen. Doch das Rindvieh schlief.

Du bist der erste nicht der so verschwindet.
Das hab ich nicht an Dir verdient, mein Kind.
Du glaubst doch nicht, daß sich kein andrer findet?
Es gibt noch welche, die in Stimmung sind. –

Ich hab das Grüne an aus Poppelien.
Das Loch drinn hast Du auch hineingerissen.
Du weißt es reicht mir nur bis zu den Knien.
Ich hab auch noch ein angefangnes Kissen …

Das solltest Du am heilgen Abend kriegen.
Das ist nun aus und mir auch einerlei.
Es werden öfters andre darauf liegen.
Denn was vorbei ist, Schatz, das ist vorbei.

Ich sitz allein und wippe mit die Beine.
Verschiedne Herren reflektieren stark.
Bei Licht betrachtet seit ihr alle Schweine.
Was hilft das alles? Ich brauch hundert Mark.

Ich bin nicht stolz. Auch wär das nicht am Platze.
Wenn Du was übrig hast dann schick es schnell.
Mir gegenüber feixt ein Herr mit Glatze.
Das ist der Scheff von Engelhorns Hotell.

Wenn Du mich trifst Du brauchst mich nicht zu
        grüßen.
Man kann nie wissen und es stört auch blos.
Seit gestern nacht hab' ich geschwollne Drüßen.
Wenn alles gut geht, ist da etwas los.

Na Schluß. Der Visawie von gegenüber
fragt ob ich wollte denn er möchte schon.
Der hat Moneten so ein alter Schieber.
Behalt Dein Geld und schlaf allein, mein Sohn.

Auch Du warst einer von die feinen Herrn.
Der Alte kommt. Er nimt mich zu sich mit.
Rutsch mir den Buckel lang und hab mich gern.
Von ganzen Herzen Deine Erna Schmidt.

Ballgeflüster
(Ist sehr sachlich zu sprechen:)

Ich bin aus vollster Brust modern
und hoffe, man sieht es mir an.
Ich schlafe mit allen möglichen Herrn,
nur nicht mit dem eigenen Mann.

Ich schwärme für blutige Dramen.
Und wo man mich packt, bin ich echt.
Ich frag nicht nach Stand und Namen
und erst recht nicht nach dem Geschlecht.

Ich liebe nach neuester Mode.
Ich kenne den dernier cri.
Ich beherrsche jede Methode.
Mein Hündchen heißt Annemarie.

Ich kenne die tollsten Gebärden.
Ich flüstre das tollste Wort.
Ich liebe, um schlanker zu werden.
Ich liebe, als triebe ich Sport.

Ich haue und lasse mich hauen.
Ich regle den größten Vekehr.
Auf mir kann man Häuser bauen.
Liebchen, was willst du noch mehr?

Gefühl ist mir gänzlich fremd.
Ich leide nicht durch Gebrauch.
Ich hab unterm Kleid kein Hemd.
Und Kinder habe ich auch.

Morgen um Fünf hätt ich Zeit.
Da dürften Sie mir was tun.
Mein Bett ist doppelt breit.
Um Sechs kommt Mister White. –
Mein Herr, was sagen Sie nun?

Trottoircafés bei Nacht

Hinter sieben Palmenbesen,
die der Wirt im Ausverkauf erstand,
sitzt man und kann seine Zeitung lesen,
und die Kellner lehnen an der Wand.

An den Garderobenständern
schaukeln Hüte, und der Abendwind
möchte sie in Obst verändern.
Aber Hüte bleiben, was sie sind.

Sterne machen Lichtreklame.
Leider weiß man nicht genau, für wen.
Und die Nacht ist keine feine Dame,
sonder läßt uns ihr Gewölbe sehn.

In der renommierten Küche
brät der dicke Koch Filet und Fisch.
Und er liefert sämtliche Gerüche
seiner Küche gratis an den Tisch.

Wenn man jetzt in einer Wiese
läge, und ein Reh trät' aus dem Wald ...
Seine erste Frage wäre diese:
»Kästner, pst! Wie hoch ist Ihr Gehalt?«

Also bleibt man traurig hocken
und hält Palmen quasi für Natur.
Fliegen setzen sich auf süße Brocken.
Und der Mond ist nur die Rathausuhr.

Sieben Palmen wedeln mit den Fächern,
denn auch ihnen wird es langsam heiß.
Und die Nacht sitzt dampfend auf den Dächern.
Und ein Gast bestellt Vanille-Eis.

Die Zeit fährt Auto

Die Städte wachsen. Und die Kurse steigen.
Wenn jemand Geld hat, hat er auch Kredit.
Die Konten reden. Die Bilanzen schweigen.
Die Menschen sperren aus. Die Menschen streiken.
Der Globus dreht sich. Und wir drehn uns mit.

Die Zeit fährt Auto. Doch kein Mensch kann
    lenken.
Das Leben fliegt wie ein Gehöft vorbei.
Minister sprechen oft vom Steuersenken.
Wer weiß, ob sie im Ernste daran denken?
Der Globus dreht sich und geht nicht entzwei.

Die Käufer kaufen. Und die Händler werben.
Das Geld kursiert, als sei das seine Pflicht.
Fabriken wachsen. Und Fabriken sterben.
Was gestern war, geht heute schon in Scherben.
Der Globus dreht sich. Doch man sieht es nicht.

Marionettenballade
(Zum Leierkasten zu singen:)

Junger Mann reich und schön,
wollte die Welt besehn ...
Schließlich nach Hin und Her
stieß er ans Mittelmeer
Spanien und Griechenland –
Fabelhaft intressant!
Luft und Meer blau durchstrahlt,
wie das so Böcklin malt.
Pinienhain. Säulenrest.
Strandhotel: Wanzennest!
Sonnenglut. Dunkler Wein.
Gräßlich: Al- lein zu sein!
Mutig! denkt junger Mann.
Spricht darauf Dame an.
Er wird rot. Dame lacht.
Bitte schön! Abgemacht!
Glücklich küßt er die Hand:
Zimmer? Nein! Meeresstrand!
Beide sind sehr verliebt.
Nur die Frau denkt betrübt:
Wenn das mein Mann erfährt –
Kommt auch schon! Hoch zu Pferd!
Junge Frau hüpft ins Meer.
Ehemann hinterher.
Junger Mann ist verstört:
Findet das unerhört ...

Wer das ge-   sehen hat,
der hat das   Leben satt...
Nahm er sein   Schießgewehr –

Junger Mann   lebt nicht mehr...

Der Doktor kommt
(Ein altes Kinderspiel, renoviert:)

Der Arthur muß sich auf das Sofa legen.
Er starrt dabei am besten an die Wand.
Die Erna, seine Frau, weiß nicht, weswegen,
und greift bestürzt nach Arthurs linker Hand.

»Du hast ja Fieber!« ruft sie sehr erschrocken,
»was fehlt dir denn? Du bist doch sonst nicht so?«
»Laß mich in Ruhe!« sagt der Arthur trocken,
»mich bringen nicht zehn Pferde ins Büro!«

Nun muß er frieren. Dies vor allen Dingen.
Und murmeln: oh, der Kopf tät ihm so weh ...
Die Erna muß ihm ein Glas Wasser bringen
und sagen: »Das ist Lindenblütentee.« –

Das Wasser muß er selbstverständlich trinken
und dabei gräßlich das Gesicht verziehn.
Dann muß er stöhnend in die Kissen sinken
und Zucker essen. Anstatt Aspirin ...

Dann fängt er plötzlich an zu phantasieren.
Er schreit zum Beispiel: »Frau! Dein Kopf!
    Gib acht!
Du wirst ihn morgen unterwegs verlieren!«
Worauf er end- und grund- und herzlos lacht.

Nun fange Erna lautlos an zu weinen
und werde blaß. Doch nur, falls sie das kann.
Dann eile sie mit angstbeschwingten Beinen
zu einem Schlüsselloch und rufe an:

»Ach bitte, dreiundzwanzig, null, null, sieben!
Herr Doktor selber? – Wie? – Hier Erna Frank!
Mein Mann ist krank und heut im Bett geblieben.
Sie kommen gleich? – Wie reizend! – Gott sei
        Dank!«

Und schon nach weniger als zwei Minuten
klopft Emil an und ist der Doktor Pest.
Bevor er eintritt, muß er dreimal tuten,
weil er sein Auto vor der Türe läßt ...

Als Doktor muß er weiße Handschuh tragen.
Wenn er sie auszieht, wirkt das sicher gut.
»Er schläft gerad«, muß Erna leise sagen.
»Nur Mut«, meint Emil, »junge Frau, nur Mut!«

Dann muß er Arthur an die Pulse fassen
und mit den Lippen wackeln, weil er zählt.
Und Arthur muß sich das gefallen lassen.
Weil er doch wissen möchte, was ihm fehlt.

Auf Brust und Rücken muß ihm Emil schlagen,
und kräftig atmen lassen muß er ihn. –
Ja ... was es wäre, könne er nicht sagen.
Hierbei muß er die Brauen sinnend ziehn.

Es wäre nötig, das Gehirn zu spülen,
mit Zyankali oder Jodtinktur.
Und statt der Adern brauche er Kanülen.
Und außerdem auch die Verjüngungskur!

Dem Arthur stehn die Haare steil nach oben.
Ihm rollen Tränen in den offnen Mund.
Und plötzlich hat er sich vom Bett erhoben,
turnt hin und her und brüllt: »Ich bin gesund!«

Erstaunlich schnell sucht er nach Rock und Kragen.
Der Doktor lächelt. Erna fragt: »Wieso?«
Dann hört sie Doktor Pest zu Arthur sagen:
»Ich bringe Sie im Auto vors Büro.«

Dann müssen beide ungesäumt entschreiten
und vor der Tür, als ob sie hupten, schrein.
Und Erna muß den Frühstückstisch bereiten.
Denn Erna frühstückt gern. Und gern allein ...

Du mußt nicht gleich bei jedem Dreck erschrecken!
Daß das der Ober ist, merk ich am Schritt.
Der geht vorbei, im Speisesaal zu decken.
Da brauchst du nicht gleich alles zu verstecken!
Ich kenn den Kerl. Schmitz heißt er. Oder Schmidt. –

Die Freundin vor dir ging mir bis zum Knie.
Da hatte ich, wenn ich den Mund aufmachte,
im Handumdrehn das ganze Mädchen drin.
Obwohl ich sonst nicht übelnehmisch bin –
das war was, was mich zur Verzweiflung brachte!

Als ich dich sah, da schickte ich sie fort.
Denn du bist groß! Du hast Figur mit Pausen!
Vom Kopf bis dahin ... Und von da bis dort ...
Dein Körper ist ein toller Ausflugsort!
Ich liebe dich von innen und von außen.

Wozu sind Brüste von verschiedner Größe?
Die rechte, siehst du, hält mehr auf Niveau.
Links gibt es Pudding. Sei nur nicht gleich böse!
Deswegen gibst du dir noch keine Blöße.
Das war bis jetzt bei allen Frauen so.

Die Hertha – doch du kennst die Hertha nicht,
sie ist, Adresse unbekannt, verzogen –
die Hertha zeigte sich nie ohne Hemd, bei Licht,
und machte stets ein heimliches Gesicht.
Das ist verkehrt. Da fühlt man sich betrogen.

Nein, Frauen, die man lieb hat, muß man kennen.
Was man nicht sehen darf, hat keine Zweck!
Daß du es weißt: Ich lasse immer brennen.
Die Dunkelheit benutz ich bloß zum Pennen …
Der Spiegel steht ganz günstig über Eck.

Nur später werden wir ihn etwas drehen.
Liegst du bequem? Warum fixierst du mich?
Nur Mut, mein Schatz! Du wirst mich gleich
        verstehen.
Erst will ich mit dem Mund spazieren gehen.
Und dann … Pardon! wie heißt du eigentlich?

Anmerkung: Die Vorliebe für große Frauen ist weit verbrei-
tet und keinesfalls unverständlich.

Gespräch in der Haustür

Am Dienstag brauchst du nicht auf mich zu warten.
Du frierst... Es zieht... Du hast fast gar nichts
    an...
Ja – meine Frau hat für den ›Freischütz‹ Karten.
Was tut man nicht als braver Ehemann!

Nun siehst du aus, als wolltest du gleich weinen.
Ob mich hier jemand, der mich kennt, erkennt?
Es sind so viele Leute auf den Beinen.
Ich sag dir doch: Ich schlaf von ihr getrennt!

Nun weinst du wirklich! Und da soll ich gehen...
Wenn du hinaufkommst, ist das Zimmer leer.
Ich weiß: Du wirst dann noch am Fenster stehen.
Ich hab dich lieb. Doch machst du dir's zu schwer.

Hier nimm mein Taschentuch. Wie kalt dein Arm
    ist!
Gut wär's, wenn sie und ich das Kind nicht hätten. –
Und leg dich gleich! Sag... ob das Bett noch warm
    ist?
Doch lüfte erst. Es roch nach Zigaretten.

Es heißt, den Mörbitz würde sie besuchen.
Weißt du, mit dem wir sie im »Eden« sahn!
Und wenn du Kaffeetrinken gehst, iß Kuchen!
Leb wohl, mein Kind! Dort kommt die
        Straßenbahn.

Und deck die Brüstchen zu! Sonst frieren sie.
Und träum von mir, und mach dir keine Sorgen.
Gutnacht mein Kind! Ich hab dich lieb, und wie!
Gutnacht mein Kind! Die Miete schick ich morgen!

Jardin du Luxembourg

Dieser Park liegt dicht beim Paradies.
Und die Blumen blühn, als wüßten sie's.
Kleine Knaben treiben große Reifen.
Kleine Mädchen tragen große Schleifen.
Was sie rufen, läßt sich schwer begreifen.
Denn die Stadt ist fremd. Und heißt Paris.

Alle Leute, auch die ernsten Herrn,
spüren hier: Die Erde ist ein Stern!
Und die Kinder haben hübsche Namen
und sind fast so schön wie auf Reklamen.
Selbst die Steinfiguren, meistens Damen,
lächelten (wenn sie nur dürften) gern.

Lärm und Jubel weht an uns vorbei
wie Musik. Und ist doch bloß Geschrei.
Bälle hüpfen fort, weil sie erschrecken.
Ein fideles Hündchen läßt sich necken.
Kleine Neger müssen sich verstecken,
und die andern sind die Polizei.

Mütter lesen. Oder träumen sie?
Und sie fahren hoch, wenn jemand schrie.
Schlanke Fräuleins kommen auf den Wegen
und sind jung und blicken sehr verlegen
und benommen auf den Kindersegen.
Und dann fürchten sie sich irgendwie.

Anmerkung: Wenn ich ein junges Mädchen wäre – es ist zur
Freude der jungen Mädchen nicht der Fall –, also, ich fürch-
tete mich wahrscheinlich auch.

Moralische Anatomie

Da hat mir kürzlich und mitten im Bett
eine Studentin der Jurisprudenz erklärt:
Jungfernschaft sei, möglicherweise, ganz nett,
besäße aber kaum noch Sammlerwert.

Ich weiß natürlich, daß sie nicht log.
Weder als sie das sagte,
noch als sie sich kenntnisreich rückwärtsbog
und nach meinem Befinden fragte.

Sie hatte nur Angst vor dem Kind.
Manchmal besucht sie mich noch.
An der Stelle, wo andre moralisch sind,
da ist bei ihr ein Loch ...

Die Zunge der Kultur reicht weit

Die Zunge der Kultur reicht weit!
Wohin sie sich erstreckt,
da wird der Mensch nebst seiner Zeit
so lang wie hoch und weit und breit
von der Kultur beleckt.

O, daß sie tausend Zungen hätte!
Noch gibt es Neger ohne Uhr,
und Dörfer ohne Operette,
und Eskimos ohne – Pardon! – Klosette.
Die Zunge raus, Kultur!

Noch gibt es Frauen, die den Nabel zeigen
und ohne Kleid und Scham spazieren gehn.
Noch gibt es Männer, die im Dunkeln geigen,
und Leute, die, selbst wenn sie dumm sind,
    schweigen.
Man kann das kaum verstehn ...

Denn wir stelln unsre Kinder künstlich her
und unsre Nahrung in Tablettenform.
Das Altern kennen wir nicht mehr.
Bouillon mit Ei gewinnen wir aus Teer.
Kurzum: Es ist enorm!

Der Straßenkehrer braucht das Abitur
und muß belesen sein in Schund und Schmutz.
Da denkt man manchmal: Die Kultur,
sie kann uns am –! Sie soll uns nur –!
Sie ist dazu imstand und tut's.

Apropos, Einsamkeit!

Man kann mitunter scheußlich einsam sein!
Da hilft es nichts, den Kragen hochzuschlagen
und vor Geschäften zu sich selbst zu sagen:
Der Hut da drin ist hübsch, nur etwas klein ...

Da hilft es nichts, in ein Café zu gehn
und aufzupassen, wie die andren lachen.
Da hilft es nichts, ihr Lachen nachzumachen.
Es hilft auch nichts, gleich wieder aufzustehn.

Da schaut man seinen eignen Schatten an.
Der springt und eilt, um sich nicht zu verspäten,
und Leute kommen, die ihn kühl zertreten.
Da hilft es nichts, wenn man nicht weinen kann.

Da hilft es nichts, mit sich nach Haus zu fliehn
und, falls man Brom zu Haus hat, Brom zu
          nehmen.
Da nützt es nichts, sich vor sich selbst zu schämen
und die Gardinen hastig vorzuziehn.

Da spürt man, wie es wäre: Klein zu sein.
So klein wie nagelneue Kinder sind!
Dann schließt man beide Augen und wird blind.
Und liegt allein ...

Weihnachtslied, chemisch gereinigt

(Nach der Melodie: ›Morgen, Kinder, wird's was geben!‹)

Morgen, Kinder, wird's nichts geben!
Nur wer hat, kriegt noch geschenkt.
Mutter schenkte euch das Leben.
Das genügt, wenn man's bedenkt.
Einmal kommt auch eure Zeit.
Morgen ist's noch nicht so weit.

Doch ihr dürft nicht traurig werden.
Reiche haben Armut gern.
Gänsebraten macht Beschwerden.
Puppen sind nicht mehr modern.
Morgen kommt der Weihnachtsmann.
Allerdings nur nebenan.

Lauft ein bißchen durch die Straßen!
Dort gibt's Weihnachtsfest genug.
Christentum, vom Turm geblasen,
macht die kleinsten Kinder klug.
Kopf gut schütteln vor Gebrauch!
Ohne Christbaum geht es auch.

Tannengrün mit Osrambirnen –
lernt drauf pfeifen! Werdet stolz!
Reißt die Bretter von den Stirnen,
denn im Ofen fehlt's an Holz!
Stille Nacht und heil'ge Nacht –
weint, wenn's geht, nicht! Sondern lacht!

Morgen, Kinder, wird's nichts geben!
Wer nichts kriegt, der kriegt Geduld!
Morgen, Kinder, lernt fürs Leben!
Gott ist nicht allein dran schuld.
Gottes Güte reicht so weit . . .
Ach, du liebe Weihnachtszeit!

Anmerkung: Dieses Lied wurde vom Reichsschulrat für das
Deutsche Einheitslesebuch angekauft.

Goldne Worte, nicht ganz nüchtern
(Ein Herr erklärt im Vorbeigehen:)

Wenn es hochkommt – hupp! sagt ein Psalmist,
wenn es hochkommt, wird man achtzig Jahre.
Ob das etwa eine Drohung ist?
Ach, man brauchte Geld und hat nur Ware.

Hupp! mein Magen stellt sich auf die Zehen ...
Nein, mein Fräulein, ich hab keine Lust.
Macht das Spaß, so hin und herzugehen?
Ist das, was Sie tragen, alles Brust?

Meine Frau hält sich für unverstanden.
Ich begriffe sie nicht mehr, sagt sie.
Ehrenschulden ... Deckung nicht vorhanden ...
Wenn es hochkommt, – doch das tut es nie.

Grün, sagt Goethe, sei des Lebens Baum,
aber grau sei alle Diarrhoe.
Ob er recht gehabt hat, weiß man kaum.
Also Servus! Philosauf qui peut!

Mutter und Kind

(Noch ein altes Kinderspiel, renoviert:)

Die Emma ist die Frau. Du bist der Mann.
Die andern müssen sich zunächst verstecken.
Im Schrank zum Beispiel. Oder finstern Ecken.
Auch auf dem Flur. Ein jedes, wo es kann.

Dann greift der Mann nach einem Pappkarton.
Und sagt, er müsse längre Zeit verreisen.
Und zwar – wer will das Gegenteil beweisen –
nach Borneo. Vermittels Luftballon.

Dann rennt er vor die Tür. Die Frau wird krank.
Sie weint und schreit und zieht sich an den Haaren.
»O Mann«, heult sie, »warum bist du gefahren?«
Drauf holt sie eins der Kinder aus dem Schrank.

Wenn du zurückkommmst, bist du hochbeglückt.
Die Emma zeigt das Kind. Es kann schon laufen.
Du willst es auf den Namen Lina taufen.
Sie sagt: »Wo es ein Junge ist! Verrückt!«

Mitunter müßt ihr euch den Rücken drehn.
Und mit den Augen und den Armen rollen.
Die Emma muß zu ihren Eltern wollen.
Doch so ein Streit wird schnell vorübergehn.

Dann müßt ihr wieder äußerst glücklich sein.
Und eingehenkelt aus dem Fenster blinzeln.
Im Hintergrunde hat das Kind zu winseln.
Ihr gebt ihm seine Milch. Dann schläft es ein.

Nun wird es auch allmählich wieder Zeit,
ein neues Kindchen aus dem Schrank zu holen.
Diesmal bist du vielleicht in Russisch-Polen.
Und nicht in Borneo. Das war zu weit ...

Du bringst ihr Blumen mit als braver Mann.
Am besten Heidekraut und Edelweiße.
Weil die sich halten, trotz der großen Reise,
und sie auf dem Klavier stehn, nebenan.

Was nun der Junge ist – das erste Kind –
der hat inzwischen tüchtig zugenommen
und soll zu Ostern in die Schule kommen.
Wie schnell doch die paar Jahr vergangen sind!

Die andern Kinder – außer jenen zwein –
die nun noch immer in dem Schranke kauern,
die wollen, weil sie laut sind und euch dauern,
ein bißchen Schlag auf Schlag geboren sein.

Auch müßt ihr manchmal unter Leute gehn*,
zu Maskenbällen oder ins Theater.
Du trägst den Frack von deinem Vater.
Er wird zu groß sein und dir glänzend stehn.

Die Kinder steckt ihr wieder in den Schrank.
Damit es dunkel ist, wenn sie sich zanken.
Ihr sitzt inzwischen, ziemlich in Gedanken
wie echte Eltern, auf der Küchenbank.

Und sprecht dann beide, würdigen Gesichts,
vom Ernst des Lebens und den Reichstagswahlen.
Dann rufst du plötzlich laut: »Herr Ober, zahlen!«
Und wenn kein Ober kommt, so macht das nichts.

Emma ist müd. – Es war ein bißchen viel. –
Löst die Familie auf! Macht Atempause!
Die andern Kinder müssen auch nach Hause.
So eine Ehe ist kein Kinderspiel ...

* In der Erstausgabe von 1928 lautete die Zeile: »Auch
müßt ihr abends manchmal auswärts gehn«.

Klassenzusammenkunft

Sie trafen sich, wie ehemals,
im 1. Stock des Kneiplokals.
Und waren zehn Jahre älter.
Sie tranken Bier. (Und machten Hupp!)
Und wirkten wie ein Kegelklub.
Und nannten die Gehälter.

Sie saßen da, die Beine breit,
und sprachen von der Jugendzeit
wie Wilde vom Theater.
Sie hatten, wo man hinsah, Bauch,
und Ehefrau'n hatten sie auch,
und Fünfe waren Vater.

Sie tranken rüstig Glas auf Glas
und hatten Köpfe bloß aus Spaß
und nur zum Hütetragen.
Sie waren laut und waren wohl
aus einem Guß, doch innen hohl,
und hatten nichts zu sagen.

Sie lobten schließlich, haargenau,
die Körperformen ihrer Frau,
den Busen und dergleichen...
Erst dreißig Jahr, und schon zu spät!
Sie saßen breit und aufgebläht
wie nicht ganz tote Leichen.

Da, gegen Schluß, erhob sich wer
und sagte kurzerhand, daß er
genug von ihnen hätte.
Er wünschte ihnen sehr viel Bart
und hundert Kinder ihrer Art
und gehe jetzt zu Bette.

Den andern war es nicht ganz klar,
warum der Kerl gegangen war.
Sie strichen seinen Namen.
Und machten einen Ausflug aus.
Für Sonntag früh. Ins Jägerhaus.
Doch dieses Mal mit Damen.

Das war ein Leben in den Gründerjahren!
Wir fuhren damals – ich und Felix Dahn –
auf Rädern durch den Stillen Ozean.
Von Shanghai aus, wo wir auf Urlaub waren.

Da wir meist die Äquatorspur benutzten,
wurden die Speichen gar nicht allzu naß.
Dahns Hinterrad verrostete etwas.
Bis wir es dann in Honolulu putzten.

Kurz vor den Staaten platzte mir ein Reifen,
als ich um eine Riesenwelle bog.
Das Rad versank, so sehr ich daran zog.
Ich kann das heute noch nicht ganz begreifen.

Den Rest des Meeres mußte ich durchwandern!
In San Franzisko stiegen wir an Land.
Chaplin war da und drückte uns die Hand,
und Feste gab man uns, eins nach dem andern.

Man schenkte uns den Roten Radler-Orden,
viel Corned beef, weil Dahn es gerne aß,
zwei Negermädchen und ein Opernglas. –
Auf Steinwayflügeln flogen wir nach Norden.

Am Nordpol (und nur deshalb, weil wir froren)
umarmten wir die Mohrenköpfe heiß.
Sie waren steif wie Schokoladeneis,
so daß wir schließlich die Geduld verloren.

Die Globusachse ragte aus dem Eise,
wir zierten sie mit einem Sitzgestell,
das drehte sich und war ein Karussell.
Nun galt's zu handeln, rücksichtslos und weise ...

Wir stopften unsre Suahelibräute
in das polare Karussell und flohn
– mit Hilfe eines Ferngesprächs – davon.
Bis nach Berlin, wo man uns Blumen streute.

Oh, man ernannte uns zu Professoren
honoris causa! Dahn verlas vorm Dom
das Schlußkapitel seines ›Kampf um Rom‹.
Ich sprach von Frisko, Nordpol, Beef und
        Mohren ...

Man rief Hurra. Man schwang die Landesfarben.
Das Volk fing Feuer, Flammen zuckten, Rauch
stieg hoch. Die Menge brannte. Und wir auch –
Dies war der Tag, an dem wir, unvorher-
        gesehnermaßen, starben.

Monolog in der Badewanne

Da liegt man nun, so nackt wie man nur kann,
hat Seife in den Augen, welche stört,
und merkt, aufs Haar genau: Man ist ein Mann.
Mit allem, was dazugehört.

Es scheint, die jungen Mädchen haben recht,
wenn sie – bevor sie die Gewohnheit packt –
der Meinung sind, das männliche Geschlecht
sei kaum im Hemd erträglich. Und gar nackt!

Glücklicherweise steht's in ihrer Hand,
das, was sie stört, erfolgreich zu verstecken. –
So früh am Tag, und schon soviel Verstand!
Genug, mein Herr! Es gilt, sich auszustrecken.

Da liegt man, ohne Portemonnaie und Hemd
und hat am ganzen Leibe keine Taschen.
Ganz ohne Anzug wird der Mensch sich fremd...
Da träumt man nun, anstatt den Hals zu waschen.

Der nackte Mensch kennt keine Klassenfrage.
Man könnte, falls man Tinte hätte, schreiben:
»Ich kündige. Auf meine alten Tage
will ich in meiner Badewanne bleiben.«

Da klingelt es. Das ist die Morgenzeitung.
Und weil man nicht, was nach dem Tod kommt,
    kennt,
schreibt man am besten in sein Testament:
»Legt mir ins kühle Grab Warmwasserleitung!«

Knigge für Unbemittelte

Ans deutsche Volk, von Ulm bis Kiel:
Ihr eßt zu oft! Ihr eßt zuviel!
Ans deutsche Volk, von Thorn bis Trier:
Ihr seid zu faul! Zu faul seid ihr!

Und wenn sie euch den Lohn entzögen!
Und wenn der Schlaf verboten wär!
Und wenn sie euch so sehr belögen,
daß sich des Reiches Balken bögen!
Seid höflich und sagt Dankesehr.

Die Hände an die Hosennaht!
Stellt Kinder her! Die Nacht dem Staat!
Euch liegt der Rohrstock tief im Blut.
Die Augen rechts! Euch geht's zu gut.

Ihr sollt nicht denken, wenn ihr sprecht!
Gehirn ist nichts für kleine Leute.
Den Millionären geht es schlecht.
Ein neuer Krieg käm ihnen recht.
So macht den Ärmsten doch die Freude!

Ihr seid zu frech und zu begabt!
Seid taktvoll, wenn ihr Hunger habt!
Rasiert euch besser! Werdet zart!
Ihr seid kein Volk von Lebensart.

Und wenn sie euch noch tiefer stießen
und würfen Steine hinterher!
Und wenn sie euch verhaften ließen
und würden nach euch Scheibe-schießen!
Sterbt höflich und sagt Dankesehr.

Wieso, warum?

Warum sind tausend Kilo eine Tonne?
Warum ist dreimal Drei nicht Sieben?
Warum dreht sich die Erde um die Sonne?
Warum heißt Erna Erna statt Yvonne?
Und warum hat das Luder nicht geschrieben?

Warum ist Professoren alles klar?
Warum ist schwarzer Schlips zum Frack verboten?
Warum erfährt man nie, wie alles war?
Warum bleibt Gott grundsätzlich unsichtbar?
Und warum reißen alte Herren Zoten?

Warum darf man sein Geld nicht selber machen?
Warum bringt man sich nicht zuweilen um?
Warum trägt man im Winter Wintersachen?
Warum darf man, wenn jemand stirbt, nicht lachen?
Und warum fragt der Mensch bei jedem Quark:
        Warum?

Mädchens Klage

(Dem Wohnungsamt gewidmet:)

Wir wohnen Hinterhaus. Im vierten Stock.
Ich kriege schon die ersten Achselhaare.
Mein Bruder will mir manchmal untern Rock.
Und nächsten Juli bin ich vierzehn Jahre.

Wir haben bloß ein Zimmer, wo wir schlafen,
und trotzdem einen fest möblierten Herrn.
Der ähnelt sonntags einem schönen Grafen.
Und gibt mir Geld. Da tut man manches gern.

Herr Lehrer Günther könnte mir gefallen.
Beim Turnen zieh ich drunter nicht viel an.
Erst gestern sagte er den andern allen,
wie gut ich mit den Keulen schwingen kann ...

Wenn wir Herrn Günther bei uns wohnen hätten!
Geld oder sowas nähm ich von ihm keins.
Wir lägen nachts fast in denselben Betten,
und Ostern kriegte ich in »Sittlichkeit« die Eins!

Wenn ich bei uns zuhaus am Fenster sitze
und auf die Straße sehe, ist das weit!
Da spuck ich dann nach der Laternenspitze.
Und wenn mein Bruder mitspuckt, gibt es Streit.

Wenn niemand da ist, hab ich meine Ruh
und lese in der Bibel von der Liebe.
Vorgestern kam die Mutter grad dazu.
Sie fragte diesmal gar nicht, was ich triebe.
Mitunter fragt sie nämlich, was ich tu.
Dann setzt es Hiebe –

Atmosphärische Konflikte

Die Bäume schielen nach dem Wetter.
Sie prüfen es. Dann murmeln sie:
»Man weiß in diesem Jahre nie,
ob nu raus mit die Blätter
oder rin mit die Blätter
oder wie!«

Aus Wärme wurde wieder Kühle.
Die Oberkellner waren blaß
und fragten ohne Unterlaß:
»Also, raus mit die Stühle
oder rin mit die Stühle
oder was?«

Die Pärchen mieden nachts das Licht.
Sie hocken Probe auf den Bänken
in den Alleen, wobei sie denken:
»Raus mit die Gefühle
oder rin mit die Gefühle
oder nicht?«

Der Lenz geht diesmal auf die Nerven
und gar nicht, wie es heißt, ins Blut.
Wer liefert Sonne in Konserven?
Na, günstigen Falles
wird doch noch alles
gut.

Es ist schon warm. Wird es so bleiben?
Die Knospen springen im Galopp.
Und auch das Herz will Blüten treiben.
Drum raus mit die Stühle
und rin mit die Gefühle,
als ob!

Elegie mit Ei

Es ist im Leben häßlich eingerichtet,
daß nach den Fragen Fragezeichen stehn.
Die Dinge fühlen sich uns keineswegs verpflichtet;
sie lächeln nur, wenn wir vorübergehn.

Wer weiß, fragt Translateur, was Blumen träumen?
Wer weiß, ob blonde Neger häufig sind?
Und wozu wächst das Obst auf meterhohen
    Bäumen?
Und wozu weht der Wind?

Wir wolln der Zukunft nicht ins Fenster gaffen.
Sie liegt mit der Vergangenheit zu Bett. –
Die ersten Menschen waren nicht die letzten Affen.
Und wo ein Kopf ist, ist auch meist ein Brett.

Wir werden später jung als unsre Väter.
Und das, was früher wär, fällt *uns* zur Last.
Wir sind die kleinen Erben großer Übeltäter.
Sie luden uns bei ihrer Schuld zu Gast.

Sie wollten Streit. Und *uns* gab man die Prügel.
Sie spielten gern mit Flinte, Stolz und Messer.
Wir säen Gras auf Eure Feldherrnhügel.
Wir werden langsam. Doch wir werden besser!

Wir wollen wieder mal die Tradition begraben.
Sie saß am Fenster. Sie ward uns zu dick.
Wir wollen endlich unsre eigne Aussicht haben
und Platz für unsern Blick.

Wir wollen endlich unsre eignen Fehler machen.
Wir sind die Jugend, die an nichts mehr glaubt
und trotzdem Mut zur Arbeit hat. Und Mut zum
       Lachen.
Kennt Ihr das überhaupt?

Beginnt ein Anfang? Stehen wir am Ende?
Wir lachen hunderttausend Rätseln ins Gesicht.
Wir spucken – pfui, Kästner – in die Hände
und gehn an unsre Pflicht.

Stimmen aus dem Massengrab

(Für den Totensonntag. Anstatt einer Predigt:)

Da liegen wir und gingen längst in Stücken.
Ihr kommt vorbei und denkt: sie schlafen fest.
Wir aber liegen schlaflos auf dem Rücken,
weil uns die Angst um Euch nicht schlafen läßt.

Wir haben Dreck im Mund. Wir müssen schweigen.
Und möchten schreien, bis das Grab zerbricht!
Und möchten schreiend aus den Gräbern steigen!
Wir haben Dreck im Mund. Ihr hört uns nicht.

Ihr hört nur auf das Plaudern der Pastoren,
wenn sie mit ihrem Chef vertraulich tun.
Ihr lieber Gott hat einen Krieg verloren
und läßt Euch sagen: Laßt die Toten ruhn!

Ihr dürft die Angestellten Gottes loben.
Sie sprachen schön am Massengrab von Pflicht.
Wir lagen unten, und sie standen oben.
Das Leben ist der Güter höchstes nicht. –

Da liegen wir, den toten Mund voll Dreck.
Und es kam anders, als wir sterbend dachten.
Wir starben. Doch wir starben ohne Zweck.
Ihr laßt Euch morgen, wie wir gestern, schlachten.

Vier Jahre Mord, und dann ein schön Geläute!
Ihr geht vorbei und denkt: sie schlafen fest.
Vier Jahre Mord, und ein paar Kränze heute!
Verlaßt Euch nie auf Gott und seine Leute!
Verdammt, wenn Ihr das je vergeßt!

Bücher
von Erich Kästner

Als ich ein kleiner Junge war

Bei Durchsicht meiner Bücher

Doktor Erich Kästners
lyrische Hausapotheke

Drei Männer im Schnee

Die dreizehn Monate

Fabian

Gesang zwischen den Stühlen

Herz auf Taille

Die kleine Freiheit

Der kleine Grenzverkehr

Kurz und bündig

Lärm im Spiegel

Ein Mann gibt Auskunft

Notabene 45

Die Schule der Diktatoren

Der tägliche Kram

Die verschwundene Miniatur

Der Zauberlehrling

ATRIUM VERLAG
ZÜRICH

Erich Kästner im dtv

»Erich Kästner ist ein Humorist in Versen, ein gereimter
Satiriker, ein spiegelnder, figurenreicher, mit allen
Dimensionen spielender Ironiker ... ein Schelm und
Schalk voller Melancholien.«
Hermann Kesten

**Doktor Erich Kästners
Lyrische Hausapotheke**
dtv 11001

**Bei Durchsicht meiner
Bücher**
Gedichte · dtv 11002

Herz auf Taille
Gedichte · dtv 11003

Lärm im Spiegel
Gedichte · dtv 11004

Ein Mann gibt Auskunft
dtv 11005

Fabian
Die Geschichte eines
Moralisten
dtv 11006

**Gesang zwischen den
Stühlen**
Gedichte · dtv 11007

Drei Männer im Schnee
dtv 11008

**Die verschwundene
Miniatur**
dtv 11009 und
dtv großdruck 25034

Der kleine Grenzverkehr
dtv 11010

Die kleine Freiheit
Chansons und Prosa
1949–1952
dtv 11012

Kurz und bündig
Epigramme
dtv 11013

Die 13 Monate
Gedichte · dtv 11014

**Die Schule der
Diktatoren**
Eine Komödie
dtv 11015

Notabene 45
Ein Tagebuch
dtv 11016

**Ingo Tornow
Erich Kästner und
der Film**
dtv 12611

**Das Erich Kästner
Lesebuch**
Hrsg. von Sylvia List
dtv 12618

Klassische Autoren
in dtv-Gesamtausgaben

Georg Büchner
Werke und Briefe
Münchner Ausgabe
Herausgegeben von
Karl Pörnbacher, Gerhard
Schaub, Hans-Joachim
Simm und Edda Ziegler
dtv 12374

Annette von
Droste-Hülshoff
Sämtliche Briefe
Historisch-kritische
Ausgabe
Herausgegeben von
Winfried Woesler
dtv 2416

Johann Wolfgang von
Goethe
Werke
Hamburger Ausgabe
in 14 Bänden
dtv 59038

**Goethes Briefe und
Briefe an Goethe**
Hamburger Ausgabe
in 6 Bänden
dtv 5917

Goethes Gespräche
Biedermannsche Ausgabe
Ergänzt und herausgegeben
von Wolfgang Herwig
dtv 59039

Ferdinand Gregorovius
**Geschichte der Stadt
Rom im Mittelalter
Vom V. bis XVI. Jahr-
hundert**
Vollständige Ausgabe in
7 Bänden
dtv 5960

Sören Kierkegaard
Entweder – Oder
Deutsche Übersetzung von
Heinrich Fauteck
dtv 30134

Heinrich von Kleist
**Sämtliche Werke und
Briefe in zwei Bänden**
Herausgegeben von
Helmut Sembdner
dtv 5925

Jean de La Fontaine
Sämtliche Fabeln
Mit 255 Illustrationen
von Grandville
dtv 2353

J. M. R. Lenz
Werke
Dramen, Prosa, Gedichte
dtv 2296

Stéphane Mallarmé
Sämtliche Dichtungen
Französisch und deutsch
dtv 2374

Klassische Autoren
in dtv-Gesamtausgaben

Sophie Mereau-Brentano
Liebe und allenthalben
Liebe
Werke und autobiographi-
sche Schriften
Herausgegeben, ausge-
wählt und kommentiert
von Katharina von
Hammerstein
3 Bände im Schuber
dtv 59032

Theodor Mommsen
Römische Geschichte
Vollständige Ausgabe
in 8 Bänden
dtv 5955

Friedrich Nietzsche
Sämtliche Werke
Kritische Studienausgabe
in 15 Bänden
Herausgegeben von
Giorgio Colli und
Mazzino Montinari
dtv/de Gruyter 5977

Sämtliche Briefe
Kritische Studienausgabe
in 8 Bänden
Herausgegeben von
Giorgio Colli und
Mazzino Montinari
dtv/de Gruyter 5922

Frühe Schriften
1854–1869
BAW 1-5
Reprint in 5 Bänden
Kassettenausgabe
Nachdruck der Ausgabe
Friedrich Nietzsche:
Werke und Briefe
Historisch-kritische
Gesamtausgabe
dtv 59022

Arthur Rimbaud
Sämtliche Dichtungen
Zweisprachige Ausgabe
Aus dem Französischen
übersetzt und mit einem
Nachwort versehen von
Thomas Eichhorn
dtv 2399

Georg Trakl
Das dichterische Werk
Auf Grund der historisch-
kritischen Ausgabe von
Walther Killy und
Hans Szklenar
dtv 12496

François Villon
Sämtliche Werke
Französisch und deutsch
Herausgegeben und über-
setzt von Carl Fischer
dtv 2304

Die Hanser-Fontane-Ausgabe im <u>dtv</u>

Herausgegeben von Helmuth Nürnberger.
Mit Anmerkungen, Zeittafel und Literaturhinweisen
sowie einem Nachwort des Herausgebers.

**Wanderungen durch die
Mark Brandenburg**
3 Bände
dtv 59025

Briefe
Ausgabe in fünf Bänden
Ausgewählt und heraus-
gegeben von
Helmuth Nürnberger u. a.
dtv 59037

Vor dem Sturm
dtv 2345

Grete Minde
dtv 12554

Ellernklipp
dtv 12469

L' Adultera
dtv 12470

Schach von Wuthenow
dtv 2375

Graf Petöfy
dtv 2412

Unterm Birnbaum
dtv 12372

Cécile
dtv 12553

Irrungen, Wirrungen
dtv 12615

Stine
dtv 12498

Quitt
dtv 2378

Unwiederbringlich
dtv 2349

Mathilde Möhring
Mit einem Nachwort
herausgegeben von
Gotthard Erler
dtv 2350

Frau Jenny Treibel
dtv 8390

Effi Briest
dtv 12499

Die Poggenpuhls
dtv 2398

Der Stechlin
dtv 12552

Heinrich Heine
im dtv

Sämtliche Schriften
Herausgegeben von
Klaus Briegleb
7 Bände in Kassette
dtv 59035

Mit scharfer Zunge
999 Aperçus und Bonmots
Herausgegeben von
Jan-Christoph Hauschild
dtv 2413

**Essen und Trinken mit
Heinrich Heine**
Rezepte von
Jean-Claude Bourgueil
Textauswahl von
Jan-Christoph Hauschild
144 Seiten mit vielen
Farbabbildungen
Broschur mit
Umschlagklappen
dtv premium 24123

Buch der Lieder
Bibliothek der
Erstausgaben
dtv 2614

**Deutschland.
Ein Wintermärchen**
Bibliothek der
Erstausgaben
dtv 2632

Klaus Briegleb
Bei den Wassern Babels
Heinrich Heine
Jüdischer Schriftsteller in
der Moderne
dtv 30648

dtv

André Gide im dtv

Die Falschmünzer
Roman
Übersetzt von
Christine Stemmermann
dtv 12208

Die Verliese des Vatikans
Roman
Übersetzt von
Thomas Dobberkau
dtv 12285

Der Immoralist
Roman
Übersetzt von
Gisela Schlientz
dtv 12345

Die enge Pforte
Roman
Übersetzt von
Andrea Spingler
dtv 12427

dtv

Bibliothek der Erstausgaben
im dtv

Herausgegeben von
Joseph Kiermeier-Debre

Gotthold Ephraim Lessing
Nathan der Weise
dtv 2600 · DM 8,-

Friedrich Schiller
Die Räuber
dtv 2601 · DM 8,-

Johann Wolfgang Goethe
Die Leiden des jungen Werthers
dtv 2602 · DM 6,-

Novalis
Heinrich von Ofterdingen
dtv 2603 · DM 10,-

Heinrich von Kleist
Michael Kohlhaas
dtv 2604 · DM 6,-

Joseph Freiherr von Eichendorff
Aus dem Leben eines Taugenichts
dtv 2605 · DM 6,-

Georg Büchner
Danton's Tod
dtv 2606 · DM 6,-

Annette von Droste-Hülshoff
Die Judenbuche
dtv 2607 · DM 6,-

Adalbert Stifter
Brigitta
dtv 2608 · DM 6,-

Frank Wedekind
Frühlings Erwachen
dtv 2609 · DM 6,-

Gotthold Ephraim Lessing
Minna von Barnhelm
dtv 2610 · DM 6,-

Friedrich Schiller
Maria Stuart
dtv 2611 · DM 8,-

Johann Wolfgang Goethe
West-oestlicher Divan
dtv 2612 · DM 8,-

E.T.A. Hoffmann
Der goldene Topf
dtv 2613 · DM 8,-

Heinrich Heine
Buch der Lieder
dtv 2614 · DM 12,-

Franz Grillparzer
Der arme Spielmann
dtv 2615 · DM 6,-

Eduard Mörike
Mozart auf der Reise nach Prag
dtv 2616 · DM 6,-

Bibliothek der Erstausgaben
im <u>dtv</u>

Herausgegeben von
Joseph Kiermeier-Debre

Gottfried Keller
Kleider machen Leute
dtv 2617 · DM 6,-

Theodor Storm
Der Schimmelreiter
dtv 2618 · DM 8,-

Rainer Maria Rilke
Die Aufzeichnungen des
Malte Laurids Brigge
dtv 2619 · DM 10,-

Gotthold Ephraim Lessing
Emilia Galotti
dtv 2620 · DM 6,-

**Jakob Michael Reinhold
Lenz**
Der Hofmeister
dtv 2621 · DM 6,-

Friedrich Schiller
Kabale und Liebe
dtv 2622 · DM 6,-

Johann Wolfgang Goethe
Faust. Eine Tragödie
dtv 2623 · DM 8,-

Friedrich Hölderlin
Hyperion
dtv 2624 · DM 10,-

Heinrich von Kleist
Der zerbrochne Krug
dtv 2625 · DM 6,-

Georg Büchner
Lenz
dtv 2626 · DM 6,-

Friedrich Hebbel
Maria Magdalene
dtv 2627 · DM 6,-

Theodor Fontane
Effi Briest
dtv 2628 · DM 12,-

Franz Kafka
Die Verwandlung
dtv 2629 · DM 6,-

Gotthold Ephraim Lessing
Die Erziehung des
Menschengeschlechts
dtv 2630 · DM 6,-

Johann Wolfgang Goethe
Faust II
dtv 2631 · DM 10,-

Heinrich Heine
Deutschland.
Ein Wintermärchen
dtv 2632 · DM 6,-

Jeremias Gotthelf
Die schwarze Spinne
dtv 2633 · DM 6,-

Rainer Maria Rilke
Duineser Elegien
dtv 2634 · DM 6,-

Bibliothek der Erstausgaben
im <u>dtv</u>

Herausgegeben von
Joseph Kiermeier-Debre

Johann Wolfgang Goethe
Iphigenie auf Tauris
dtv 2635 · DM 6,-

Friedrich Schiller
Dom Karlos
dtv 2636 · DM 12,-

Gottfried Keller
Romeo und Julia auf
dem Dorfe
dtv 2637 · DM 6,-

Theodor Fontane
Frau Jenny Treibel
dtv 2638 · DM 10,-

Christian Morgenstern
Galgenlieder
dtv 2639 · DM 6,-

Heinrich von Kleist
Penthesilea
dtv 2640 · DM 6,-

Clemens Brentano
Gockel, Hinkel und
Gackeleia
dtv 2641 · DM 14,-

Achim von Arnim
Isabella von Ägypten
dtv 2642 · DM 8,-

Georg Büchner
Leonce und Lena
dtv 2643 · DM 6,-

Franz Kafka
Der Prozess
dtv 2644 · DM 10,-

E.T.A. Hoffmann
Das Fräulein von Scuderi
dtv 2645 · DM 8,-

Conrad Ferdinand Meyer
Das Amulet
dtv 2646 · DM 8,-

Friedrich Schiller
Wilhelm Tell
dtv 2647 · DM 8,-

Johann Wolfgang Goethe
Torquato Tasso
dtv 2648 · DM 8,-

Heinrich von Kleist
Die Marquise von O...
dtv 2649 · DM 6,-

<u>dtv</u>